Un tro roedd yna bensel, pensel fechan unig, a dim byd arall. Gorweddai yno, nad oedd yn unman arbennig, am amser hir hir. Yna un diwrnod dechreuodd ystwyrian ryw fymryn, aeth ias drwyddi, aeth cryd drwyddi . . . a dechreuodd dynnu llun.

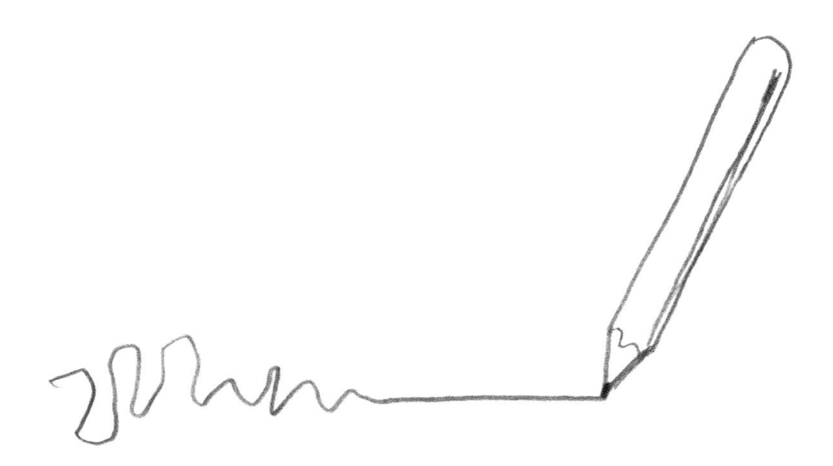

Mae Cymdeithas Lyfrau Ceredigion

YN CYFLWYNO

. . . .

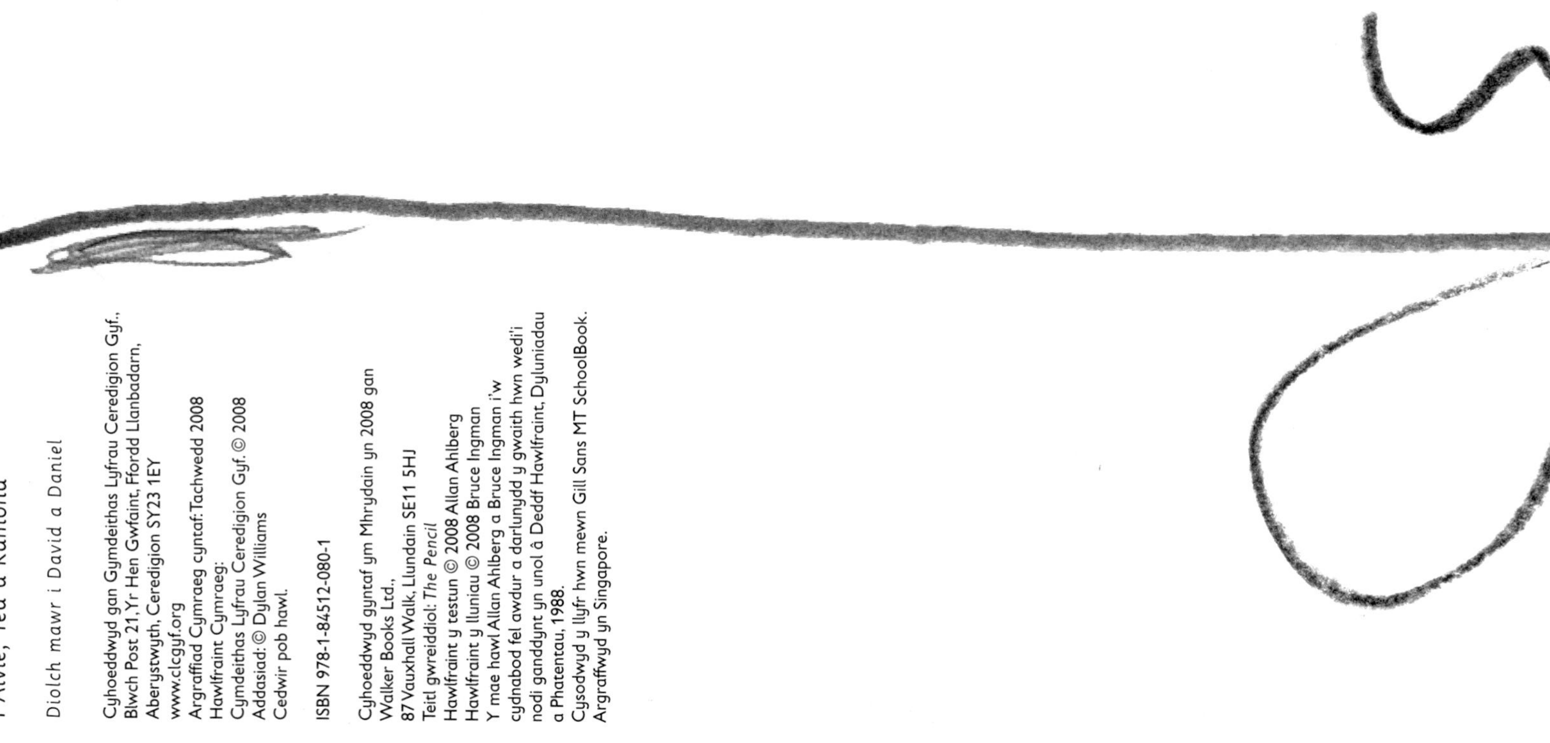

I Alvie, Ted a Ramona

Diolch mawr i David a Daniel

Cyhoeddwyd gan Gymdeithas Lyfrau Ceredigion Gyf.,
Blwch Post 21, Yr Hen Gwfaint, Ffordd Llanbadarn,
Aberystwyth, Ceredigion SY23 1EY
www.clcgyf.org
Argraffiad Cymraeg cyntaf: Tachwedd 2008

ISBN 978-1-84512-080-1

Cyhoeddwyd gyntaf ym Mhrydain yn 2008 gan
Walker Books Ltd.,
87 Vauxhall Walk, Llundain SE11 5HJ
Teitl gwreiddiol: *The Pencil*

Cysodwyd y llyfr hwn mewn Gill Sans MT SchoolBook.
Argraffwyd yn Singapore.

Bensel

Cymdeithas Lyfrau Ceredigion Gyf

Allan Ahlberg • Bruce Ingman

Tynnodd y bensel lun bachgen.
"Beth ydi fy enw i?" holodd y bachgen.
"Y . . . Banjo," atebodd y bensel.
"Reit dda," meddai Banjo. "Tynna lun ci i mi."

Tynnodd y bensel lun ci.
"Beth ydi fy enw i?" cyfarthodd y ci.
"Y . . . Bruce," atebodd y bensel.
"Ardderchog," meddai Bruce. "Tynna lun cath imi."
Petrusodd y bensel.
"Os gweli di'n dda!" meddai Bruce.

Felly tynnodd y bensel lun cath (o'r enw Modlen),
ac wrth gwrs fe redodd Bruce ar ôl Modlen,

ac fe redodd Banjo ar ôl Bruce,

rownd a rownd llun y tŷ a dynnwyd gan y bensel,
i fyny ac i lawr llun y stryd a dynnwyd gan y bensel,
ac i mewn ac allan o lun y parc a dynnwyd gan y bensel.

Fe redon nhw ar hyd y lle am amser hir hir
yn un laddar o chwys, yn flinedig ac yn biwis . . .
ac yn llwglyd.

“Tynna lun afal imi,” meddai Banjo.
“Tynna lun asgwrn imi,” cyfarthodd Bruce.
“Tynna lun . . . llygoden imi!” miawiodd Modlen.
“Na wnaf,” meddai’r bensel. “Dim llygod.”
“O’r gore, bwyd cath, ’te,” miawiodd Modlen.

Ond wedi gwneud hynny . . .
"Allwn ni ddim bwyta . . ."
"Yr afal!" gwaeddodd Banjo.
"Yr asgwrn!" cyfarthodd Bruce.
"Y bwyd cath!" miawiodd Modlen.

"MAEN NHW'N DDU A GWYN!"

Petrusodd y bensel, gwgodd,
edrychodd yn feddylgar am funud,
ac yna tynnodd lun . . .

BRWSH PAENT.

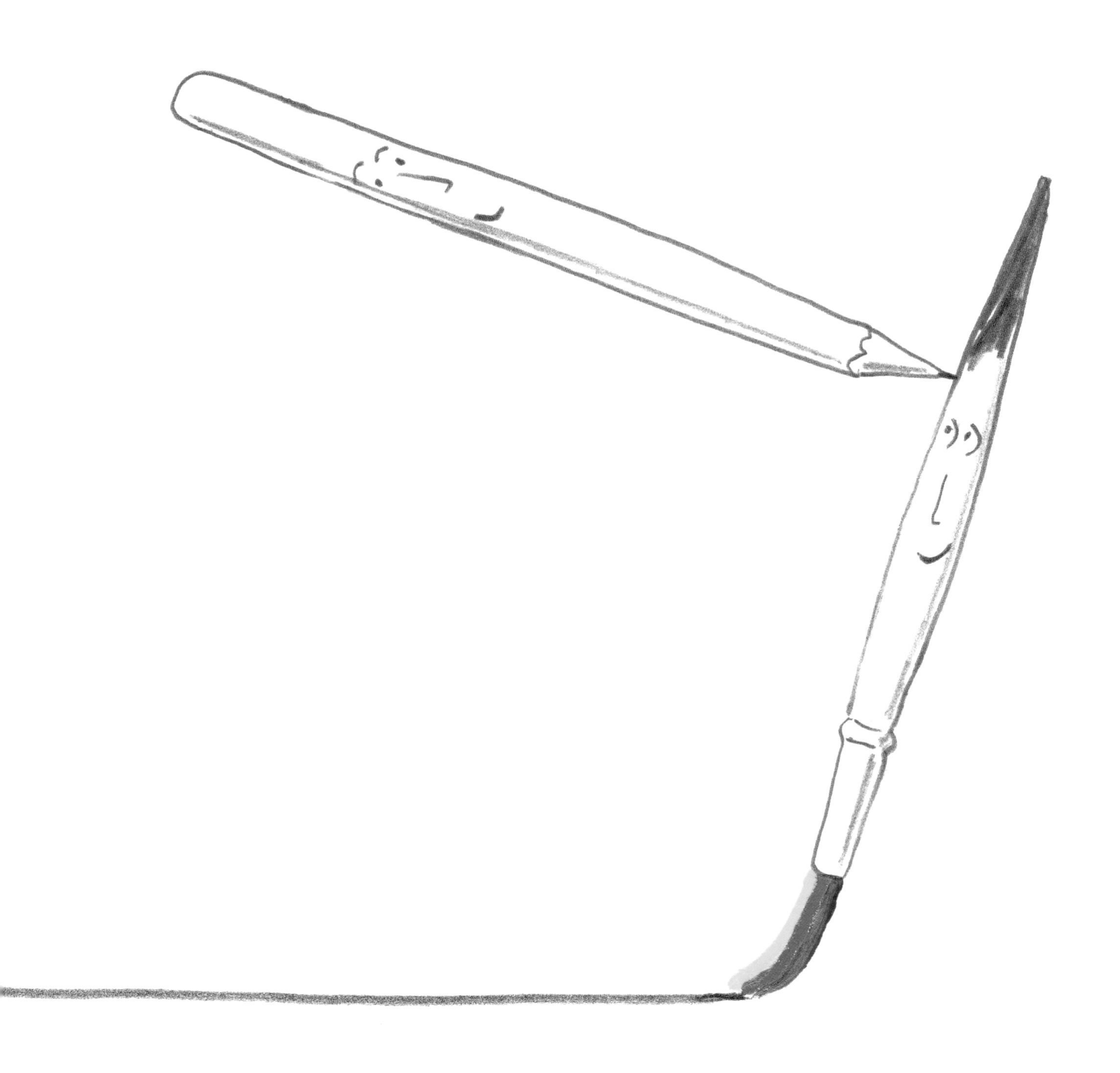

"Beth ydi fy enw i?" holodd y brwsh paent.
"Y . . . Cledwyn," atebodd y bensel.
"I'r dim," meddai Cledwyn. "Sut galla i helpu?"

Wedi hynny, paentiodd Cledwyn yr afal, yr asgwrn a'r bwyd cath.
Paentiodd Banjo a Bruce, ond nid Modlen.
Cath ddu a gwyn oedd Modlen beth bynnag.
Paentiodd y tŷ, y stryd a'r parc.

"Beth nesa?" holodd y bensel siriol a oedd wedi cynhyrfu erbyn hyn.
"Unrhyw beth!" llefodd Cledwyn. Roedd o wedi cynhyrfu hefyd.
"Tynna di'r llun ac mi liwiaf innau!"

A dyna
wnaethon nhw.

Cafodd Banjo chwaer fach o'r enw Elsi,
a mam a thad o'r enw Mr a Mrs,
rhai neiniau a theidiau,
dau gefnder, cyfnither ac un Dewyrth Idwal.
Cafodd Bruce gyfaill – Airedale o'r enw Pegi –
a phêl.

"Beth ydi fy enw i?" holodd y bêl.
"Paid â bod yn ddwl," atebodd y bensel.
Gwnaeth y bêl wyneb trist.
"O, iawn 'te . . . 'Selyf'," meddai'r bensel.

Yna, yn ddirybudd – TRWBWL.
Ciciodd Banjo Selyf – "Ow!" –
i'r awyr a thorri ffenest.
Dygodd Pegi asgwrn Bruce.
"Beth ydi fy enw i?" holodd yr asgwrn.
Aeth un o gathod bach Modlen –
roedd hi newydd ofyn am rai –
yn sownd i fyny coeden.
Ac roedd PAWB yn biwis
ac yn dechrau cwyno.

"Hen het ddwl ydi hon," meddai Mrs.
"Mae fy nghlustiau i'n rhy fawr," meddai Mr.
"Ddylwn i ddim bod yn smocio cetyn," meddai taid.
"Ac mae'r trenyrs 'ma'n erchyll!" bloeddiodd Elsi.

Petrusodd y bensel, gwgodd,
edrychodd yn bryderus am funud, aeth ias fach
drwyddi, a thynnodd lun . . .

RWBER.

Ar ôl hynny aeth y rwber ati,
fel y byddech yn disgwyl,
i rwbio pethau allan –
hetiau a chlustiau a phethau o'r fath.
Tynnodd y bensel eu lluniau unwaith eto
ac fe liwiodd y brwsh paent nhw unwaith eto.
Roedd pawb yn HAPUS.

Ond yna – MWY O DRWBWL.
Rhwbiodd y rwber bethau eraill allan.
(Roedd *o* wedi cynhyrfu hefyd.)

Rhwbiodd y bwrdd allan,
rhwbiodd y gadair allan,
rhwbiodd y mat allan,

drws y ffrynt,

a'r tŷ.

Rhwbiodd y goeden allan,
a'r gath fach (a oedd dal yn sownd ynddi),
ac fe rwbiodd y cathod bach eraill allan.
A'r cefndryd, a'r gyfnither
a'r neiniau
a Dewyrth Idwal –

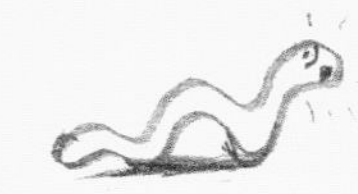

ALLAN! ALLAN! ALLAN!

Rhwbiodd y stryd allan,
rhwbiodd y parc allan,
rhwbiodd yr awyr allan.
Rhwbiodd bopeth –
hyd yn oed
Cledwyn y brwsh paent –
ALLAN!

Nes unwaith eto doedd dim byd heblaw am y bensel,
y bensel fechan unig honno, a dim byd arall.

Doedd dim modd troi trwyn y rwber.
Tynnodd y bensel lun wal i'w rwystro.
Rhwbiodd y rwber y wal allan.

Tynnodd y bensel lun caets i'w garcharu.
Rhwbiodd y rwber y bariau allan.

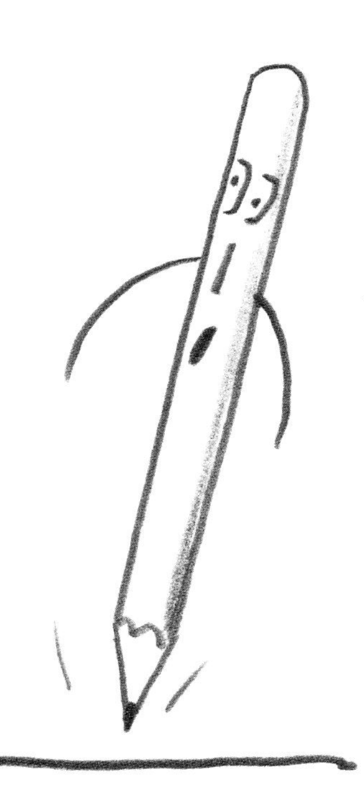

Tynnodd y bensel lun afon a mynyddoedd,
llewod a theigrod ac eirth – “Grasusau!”
Rhwbiodd y rwber y cyfan allan.

Yna, pan ymddangosai fod y cyfan ar ben a dim gobaith dianc,
aeth ias trwy'r bensel fechan ddewr honno,
aeth cryd drwyddi, a thynnodd lun . . .

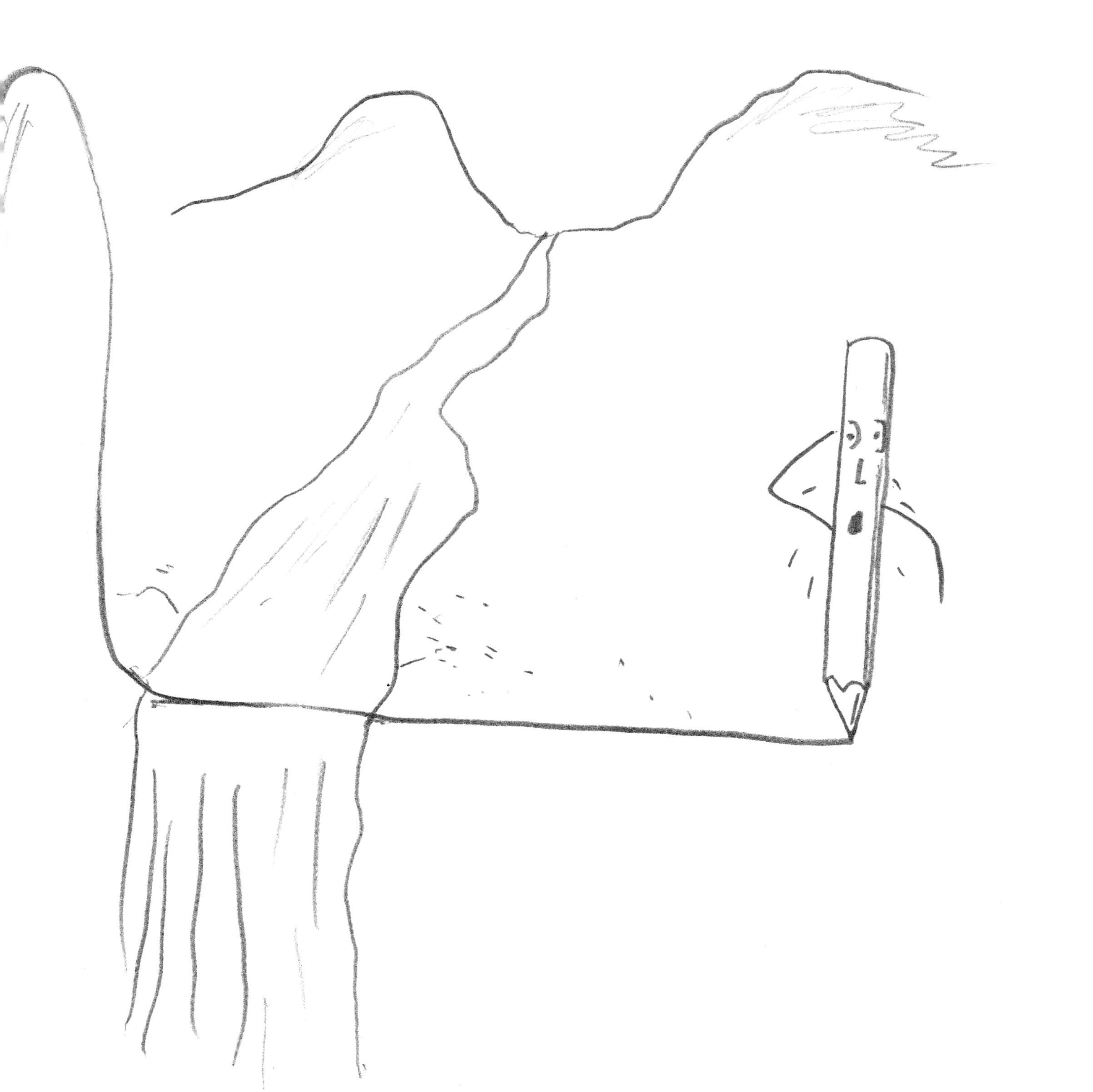

RWBER ARALL.

A beth wnaeth y DDAU RWBER yma?
Eu henwau, gyda llaw, oedd Robat a Robin.
Mae'n sicr eich bod wedi dyfalu –
wrth gwrs, fe rwbiodd y ddau ei gilydd . . .

ALLAN!

Wedi hynny – wrth gwrs, wrth gwrs! – fe dynnodd y bensel lun
Banjo a Bruce, Modlen a'r gweddill unwaith eto,
ac fe liwiodd Cledwyn – fe dynnodd y bensel ei lun ef hefyd – y cyfan.

Gosododd yr haul yn ôl yn yr awyr,
y tŷ yn ôl ar y stryd,
y gath fach yn ôl yn y goeden,
y glaswellt yn ôl yn y parc,
a phicnic – picnic newydd hyfryd – ar y glaswellt.

Parhaodd y picnic am amser hir hir. Chwaraeodd Banjo bêl-droed gyda Selyf – "O!" – a'i gefndryd a'i gyfnither.
Ceisiodd tad Banjo fwyta wy wedi ei ferwi o'r enw Bili, ond rhedodd Bili i ffwrdd. Cerddodd rhes o forgrug ("Beth ydi ein henwau ni?" holodd y morgrug*) ar draws y lliain bwrdd.

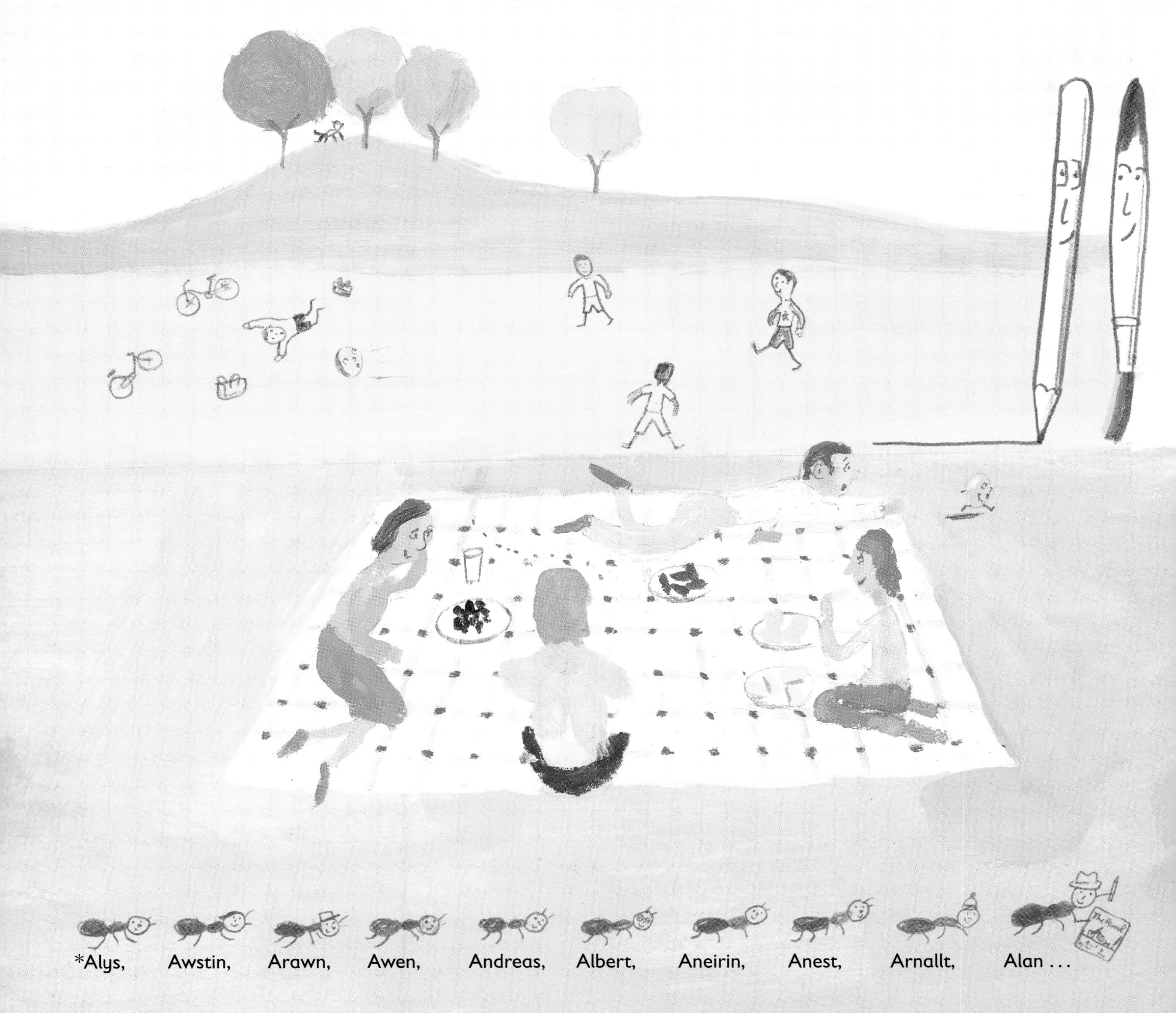

O'r diwedd machludodd yr haul
a daeth y bwyta a'r chwaraeon a'r anturiaethau i ben,
ac aeth pawb – a phopeth –
adref i'w gwlâu.

Tynnodd y bensel lun lleuad yn yr awyr
ac ychydig o foelydd tywyll.
Lliwiodd Cledwyn nhw.
Tynnodd y bensel lun bocs bach twt a leinin cysurus iddo.
Ac fe liwiodd Cledwyn hwnnw.

Lliwiodd y bensel hefyd.

y diwedd